Annie Jay ★ Ari...

Jean

petit marmiton

Vive les crêpes !

Albin Michel Jeunesse

Chapitre 1

Maître Mathieu, le chef cuisinier du roi, lève son grand couteau. Ses immenses moustaches tremblent, tant il est furieux.

– Cornegidouille ! s'écrie-t-il. Il ne coupe plus rien ! Pourtant, je l'ai fait aiguiser voilà à peine un mois !

Jean et son ami, Auguste, qui l'observent non loin de là, se regardent. Maître Mathieu s'énerve rarement, ce n'est pas bon signe ! Jean abandonne un instant la table où ils épluchent une montagne de carottes pour s'approcher de lui :

– Voulez-vous que je m'en occupe ?
Au marché, je connais un vieil homme…

– Un rémouleur[1] ?

Les sourcils du cuisinier
se froncent d'inquiétude.
C'est que, son couteau,
il y tient, il l'adore.

– Oui, un vrai
rémouleur. Je vous
jure qu'il en
prendra soin.

Le chef s'essuie
les mains à un
torchon avant
de chercher
de la monnaie
au fond de
sa poche.

– Cours-y. Je veux qu'à ton retour il soit aussi tranchant qu'une lame de rasoir.

– Tout de suite !

– Et reviens vite ! ordonne l'homme. En ce moment, nous manquons de personnel et il y a beaucoup de travail.

---

1. Personne dont le travail est de rendre plus pointus et tranchants les couteaux et autres outils à lame.

Le temps d'enlever son tablier,
et Jean attrape la monnaie et le couteau,
qu'il emballe dans un vieux chiffon.

– Tu en as de la chance, soupire
Auguste. Dire que moi je vais devoir
finir tout ce tas de carottes !

– Je n'en aurai pas pour longtemps.
Je serai vite de retour pour t'aider.

Chapitre 2

Jean adore aller au marché! On y vend
de tout. Les paysans y apportent fruits
et légumes, volailles et fromages.

De nombreux marchands proposent de
la vaisselle ou des tissus. Quelques-uns
appellent bruyamment les passants:

– Ils sont beaux, mes poulets! braille l'un.

– Chez moi, c'est pas cher! crie l'autre.

Le rémouleur se trouve tout au fond
d'une allée. Jean avance avec difficulté
entre les étalages tant il y a de monde.

– Ah, le voilà!

Le vieil homme aiguise les lames
de couteau ou de ciseaux sur une roue
en pierre. Mais plusieurs femmes font
déjà la queue devant lui…

«Il lui faudra un bon quart d'heure avant d'être disponible, songe Jean. Profitons-en pour dire bonjour à Paul et Valentine.»

Paul et sa sœur occupent une petite baraque[2] en planches. Le marmiton les a rencontrés en venant acheter un cadeau pour ses parents, voilà un mois. La jeune fille a 14 ans. Elle travaille au marché pour monsieur Morin, un aubergiste du quartier. Elle fait cuire des crêpes. Personne ne peut résister aux crêpes de Valentine, elles sont si bonnes ! Ensuite, Paul les saupoudre de sucre et les vend aux passants. À eux deux, ils forment une sacrée équipe !

Paul, lui, a 9 ans. Il sait très bien compter. Il ne se trompe jamais lorsqu'il

---

2. Petite maison de mauvaise qualité.

rend la monnaie. Toujours souriant,
il adore plaisanter…

Seulement, aujourd'hui,
pas de clients, pas de
rires, pas de bonne
odeur…

– Que se passe-t-il ? s'inquiète Jean en s'approchant du comptoir de bois.

Valentine pleure à chaudes larmes. Comme la jeune fille ne répond pas, il entre. Ciel ! Ses mains sont rouges, toutes boursouflées…

– Je ne peux plus travailler ! lui lance-t-elle. Je me suis brûlée ! Impossible de tenir la poêle…

– Tu devrais voir un médecin.

– Je ne peux pas. Monsieur Morin
nous paie si peu. Paul est allé le prévenir
à l'auberge. Quand il apprendra que
je suis blessée, il me renverra !

– Mais… ce n'est pas ta faute !

– Il s'en moquera ! sanglote-t-elle.
La seule chose qui compte pour lui,
c'est que nous lui rapportions de l'argent.

Jean réfléchit. Maître Mathieu possède une excellente crème contre les brûlures. Peut-être acceptera-t-il de lui en donner?

Mais Valentine, désespérée, poursuit:

– Demain, c'est la Chandeleur, le jour de l'année où l'on fait le plus de crêpes. Monsieur Morin a promis de nous payer davantage. J'espérais en vendre beaucoup… À présent, c'est impossible! Impossible!

Paul vient les rejoindre, épaules basses. Il semble si inquiet!

– Monsieur Morin dit que nous n'avons qu'à nous débrouiller. Si nous ne travaillons pas demain, il nous jettera à la rue. Qu'allons-nous devenir?

– Vous n'avez pas de parents? s'étonne Jean.

– Ils sont morts, explique Valentine en reniflant. Nous sommes seuls au monde. Nous couchons à l'auberge, sous les toits.

– Oh…

Jean, lui, a beaucoup de chance.
Il a encore les siens, ainsi qu'une sœur,
Madeleine. Malheureusement, ils vivent
très loin de Versailles. Il soupire et reprend :

– Paul, ne peux-tu remplacer Valentine
au fourneau ?

Le garçon fait « non » de la tête :

– J'adorerais apprendre à cuisiner, mais
je serais incapable de faire des crêpes

durant toute une journée. Et puis, qui
les donnerait aux clients et encaisserait
l'argent ? Valentine est blessée…

Mais Jean a une idée ! Un sourire
s'étale sur son visage :

– Soyez là demain à la première heure.
Je m'occupe de tout !

Et il file faire aiguiser le couteau
de maître Mathieu.

À peine Jean revenu aux cuisines,
le chef saisit son outil pour l'observer
d'un œil méfiant.

— Pas mal…, finit-il par reconnaître.

Puis il tire sur un cheveu de Jean.

— Aïe !

Et il le tranche d'un geste rapide.

— Parfait ! clame-t-il. Il coupe comme
un rasoir.

Comme maître Mathieu est satisfait,
Jean en profite :

– Puis-je vous demander quelque
chose ?

Le sourire du chef s'efface d'un coup :

– Si tu désires une augmentation,
c'est non ! Tu es ici pour apprendre et
on te paie bien assez pour ce que tu fais.

– Non, se défend Jean. Demain,
c'est la Chandeleur. Serait-il possible
que je ne travaille
pas ? À la place,
je viendrais
dimanche…

Maître Mathieu ouvre de grands yeux.
Jean ne s'absente jamais, tant il aime
cuisiner. Il a même remporté un concours
de pâtisserie : la reine Marie lui a offert
une broche en or en forme de toque
qu'il porte toujours sur lui.

– Pourquoi ? s'étonne-t-il.

– Parce que je dois aider des amis…
Et aussi… puis-je vous emprunter
de la crème contre les brûlures ?

Le marmiton a l'air bien mystérieux !
Mais, comme il est son meilleur apprenti,
le cuisinier accepte.

– Entendu. Tu travailleras dimanche.
À présent, file terminer les carottes
avec Auguste ! Le repas du roi
n'attend pas !

Chapitre 3

Le lendemain matin, Jean se dépêche de courir au marché.

– Qu'as-tu prévu ? lui demande Paul.

– Eh bien, je ferai les crêpes et tu les vendras, répond Jean. Comme je n'en ai pas l'habitude, Valentine me guidera.

Le frère et la sœur sautent de joie !

– Je me suis arrangé avec mon chef, ajoute-t-il. Tiens, dit-il à Valentine en sortant un petit pot de sa poche, voilà de quoi calmer tes brûlures.

La jeune fille lui tend ses mains. Elle
a de grosses cloques et doit souffrir
horriblement. Après l'avoir soignée,
Jean s'écrie :

– Préparons vite la pâte! Que dois-je
faire?

– Verse la farine dans le saladier.
Puis casse les œufs. Ensuite, tu ajouteras
le lait, ainsi qu'une pincée de sel
et une écorce de citron.

Jean commence. Au fur et à mesure,
Valentine lui donne des conseils:
«Un peu plus de ceci», ou encore
«Remue davantage! La pâte doit être
bien lisse!».

Lorsqu'il a terminé, il est tout fier.
C'est la première fois qu'il fait
des crêpes! Chez lui, c'est sa mère
qui les cuisine le jour de la Chandeleur.

– À présent, poursuit Valentine,
laissons reposer la pâte.
Pendant ce temps, tu vas
allumer le feu.

Pour cuisiner, la jeune fille ne possède qu'un petit réchaud[3] en métal dans lequel elle entasse des morceaux de bois. Sur le dessus, il y a une grille. C'est sur cette grille que l'on pose la poêle. Un geste malheureux, et tout peut se renverser…

– C'est très dangereux, constate Jean en entassant les bûches.

– Tu comprends pourquoi je me suis

brûlée, soupire Valentine. Dépêche-toi,
le marché va bientôt ouvrir !

Un quart d'heure plus tard, de belles
flammes montent du réchaud.

– Fais chauffer la poêle, demande-t-elle
à Jean.

Il y dépose aussitôt une noix de beurre
qui fond en grésillant[4].

---

3. Appareil de cuisson portatif, sorte de barbecue. Il peut fonctionner avec du gaz, du
charbon, du pétrole, de l'alcool ou du bois.
4. Faire une série de petits bruits.

– Ajoute une louche de pâte.
Oui… parfait…, le félicite-t-elle.
Tourne bien ta poêle en tous sens
pour l'étaler…

Déjà, une odeur délicieuse emplit
la baraque. Jean en a l'eau à la bouche !

– Vois-tu le bord de la crêpe ? lui
montre Valentine. Quand il commence
à ressembler à de la dentelle dorée,
tu la retournes. Vas-y !

Le marmiton attrape la queue de
la poêle à deux mains. Il a vu sa mère
le faire à de nombreuses reprises. Allez,
hop ! D'un coup sec, il envoie valser
la crêpe en l'air et la rattrape de justesse !

– Bravo ! s'écrie Paul.

Quelques clients s'approchent
et applaudissent.

– Il est doué, ce petit, entend-il.

– Je vous prends la première ! réclame une ménagère. Ça me portera bonheur.

– Peut-être ! répond Jean. Chez moi, le jour de la Chandeleur, on fait sauter les crêpes avec une pièce d'or dans la main. Si on réussit, on aura de la chance toute l'année.

La femme se met à rire !

– Ça ne risque pas de m'arriver… Des pièces d'or, je n'en possède point.

Paul saupoudre la crêpe de sucre, encaisse la monnaie, et elle repart, ravie.

Puis les clients s'enchaînent, les deux garçons n'ont plus le temps de discuter tant il y a de monde ! Certains en achètent 5 ou 6, pour les rapporter à la maison. D'autres les mangent sur place avec des « mmm » de plaisir.

Deux heures plus tard, il faut refaire de la pâte. Valentine, qui a déjà moins mal aux mains, s'en occupe.

– Quel succès ! s'étonne Jean.

– Nous en avons vendu 80, annonce Paul, tout heureux. Monsieur Morin sera content.

À 4 heures de l'après-midi, Jean commence à être très fatigué, ses bras lui font mal à force de soulever la poêle. Dire que Valentine fait ça tous les jours !

– Courage, lui souffle la jeune fille. Nous en sommes à 250.

Lorsque le marché ferme, ils en ont vendu 350 ! Jean et Paul n'en peuvent plus.

– 350 crêpes, s'écrie Valentine en riant, et nous n'en avons même pas mangé une seule !

Jean regarde le fond du saladier…

– Il reste un tout petit peu de pâte, juste assez pour en faire une dernière.

Alors, sans attendre, il repose
la poêle sur le feu. Puis il se souvient
de la coutume…

– C'est dommage que nous n'ayons pas
de pièce d'or, ajoute-t-il.

– Mais si, le reprend Paul. Et la broche
en or que t'a offerte la reine ? Elle est
presque ronde.

– Bien sûr ! Tu as raison !

Déjà, la crêpe est prête. Jean détache
la broche qu'il porte à sa chemise.
Il la tend à Paul et lui explique :

– Serre-la
dans ta main,
et retourne
la crêpe !

Le garçon tremble un peu. La poêle
est lourde… Mais sa sœur l'encourage.
Alors, hop ! Il lance la crêpe qui monte
presque jusqu'au plafond. Il tangue
et doit courir pour la rattraper !

– Waouh ! J'ai réussi ! J'aurai de
la chance toute l'année ! À toi, Jean.

Notre marmiton a mal partout, mais
il fait tournoyer la crêpe avec habileté.

– Bravo ! À toi, Valentine.

Malgré ses mains blessées, la jeune fille
envoie la crêpe en l'air. Elle la rattrape
et la glisse sur l'assiette.

– Comme elle est belle, dit-elle avec
émotion. Je suis sûre qu'elle sera
délicieuse. Merci, Jean, pour tout ce que
tu as fait pour nous…

Ils la partagent en trois et la dégustent
lentement. Ils l'ont bien mérité !

– Ah çà ! crie une voix.

Ils sursautent ! Un homme se tient devant eux, l'air furieux.

– Monsieur Morin ?

Les poings sur les hanches, leur patron poursuit :

– Vous mangez mes crêpes ! Voleurs !

– Mais…, bredouille Paul, c'était la dernière… Nous avons travaillé dur toute la journée…

– Pas de mais ! Vauriens ! Le lait, la farine et les œufs m'appartiennent ! Et qui paye le bois ? Vous êtes renvoyés !

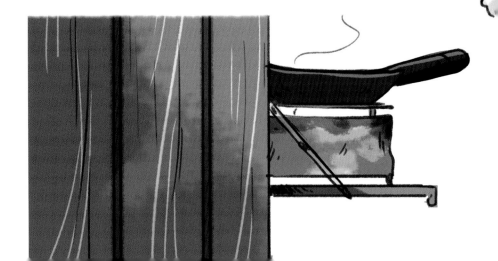

Chapitre 4

Après le départ de monsieur Morin,
Valentine soupire, les épaules basses :
– Nous voilà à la rue, sans travail,
ni toit…
– Dire que nous devions avoir de
la chance ! enrage Paul.
– Ne vous inquiétez pas, répond Jean,
j'ai une autre idée…

Au château, le soir tombe. Les marmitons
quittent les fourneaux en ôtant tablier et
toque. Jean s'avance vers maître Mathieu :

– Chef! Vous disiez hier que nous manquions de personnel…

– C'est vrai. Si j'avais quelqu'un pour éplucher les légumes, les apprentis aussi capables que toi pourraient faire davantage de cuisine.

– Chef…, ose Jean, mes amis cherchent du travail.

– Que savent-ils faire? demande maître Mathieu en observant les deux nouveaux venus.

– Paul rêve d'apprendre le métier, lance-t-il d'une voix suppliante. Valentine fait cuire des crêpes au marché. Elle est très douée, mais elle est blessée…

Le cuisinier soupire, avant d'ordonner à la jeune fille:

– Montre tes mains. Peste! Comment est-ce arrivé?

– Le réchaud s'est renversé…, explique
Valentine, tout intimidée. Mon tablier
a pris feu. J'ai éteint les flammes avec
mes mains.

– Tu aurais pu mourir! Ton patron est
un misérable de te faire travailler dans
de telles conditions!

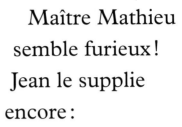

Maître Mathieu
semble furieux !
Jean le supplie
encore :
— Ils sont seuls
au monde, chef !
L'homme
réfléchit, il se
gratte la tête, gonfle
ses grosses joues, et
accepte enfin :
— D'accord, je prends le petit
comme marmiton. Et toi, ma
grande, tu travailleras à la vaisselle
dès que tes mains seront guéries.
Puis, sans même attendre leurs
remerciements, il court s'occuper
de son four en braillant :
—Mon rôti ! Il va être trop cuit !

– C'est merveilleux ! s'écrie Valentine.

– Et moi, je vais apprendre la cuisine ! renchérit Paul.

Jean, tout heureux, leur montre sa toque d'or :

– J'avais raison, nous aurons de la chance pendant un an ! Vive la Chandeleur !

La recette des crêpes

LES INGRÉDIENTS :

- ★ 250 g de farine
- ★ 2 c. à soupe de sucre en poudre
- ★ 1 pincée de sel
- ★ 4 œufs
- ★ 500 ml de lait
- ★ 50 g de beurre fondu
- ★ Au choix : 1 c. à soupe de zeste de citron, d'eau de fleur d'oranger, de vanille liquide…
- ★ Un peu d'huile pour la cuisson

La pâte :

1. **Mélange** la farine, le sucre et la pincée de sel dans un saladier.

2. **Ajoute** les œufs et **bats** bien.

3. **Ajoute** le lait peu à peu. La pâte doit devenir lisse et sans grumeaux.

4. Enfin, **ajoute** le beurre fondu et le parfum de ton choix puis remue.

5. **Laisse reposer** la pâte au moins 1 heure.

La cuisson des crêpes :

1. **Fais chauffer** une poêle à feu doux et **verses-y** un tout petit peu d'huile. **Demande à un adulte** de t'aider à **faire tourner** la poêle pour bien **étaler** l'huile.

2. **Verse** de la pâte dans la poêle. Essaye d'en mettre sur toute la surface de la poêle pour que ta crêpe ait une belle forme !

3. Quand le bord de la crêpe devient brun, tu peux la **retourner**. Tu peux tenter de la **faire sauter**, mais gare à ne pas la faire tomber !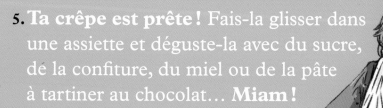

4. Laisse ensuite **cuire** l'autre côté entre 30 s et 1 min.

5. **Ta crêpe est prête !** Fais-la glisser dans une assiette et déguste-la avec du sucre, dé la confiture, du miel ou de la pâte à tartiner au chocolat… **Miam !**

Bon appétit !

Annie Jay

Annie Jay est l'auteure d'une trentaine de romans,
tous historiques, pour lesquels elle a reçu de nombreux prix.
Trois de ses romans sont recommandés par l'Éducation nationale.

Ariane Delrieu

prend toujours autant de plaisir à faire naître des personnages
sur sa planche à dessin et à leur faire vivre des aventures
extraordinaires entre les pages d'un livre.

Du même auteur

dès 8 ans.

Découvre aussi les aventures

d' *Élisabeth*

princesse à Versailles

petite sœur du roi Louis XVI.

© Albin Michel Jeunesse 2018
22, rue Huygens, 75014 Paris
www.albin-michel.fr

Conception graphique : Caroline Ancelot/Delphine Guéchot
Dépôt légal : janvier 2018 ~ N° d'édition : 22789/01
ISBN : 978-2-226-40103-8 ~ Imprimé en France chez Pollina s.a - 82946